La princesse était triste à la fenêtre
de son château. Elle n'avait jamais ri
et ne savait pas comment on fait.
Sa maman et son papa espéraient bien
qu'un jour quelqu'un saurait faire sourire
leur fille.

À Zoë, Katy et Philippa

TRADUCTION DE GENEVIÈVE BRISAC

ISBN : 2-07-054894-5
Titre original : *Lazy Jack*
Publié par Andersen Press Ltd, Londres

Numéro d'édition : 04695
Loi n° 46-956 du 16 juillet 1949
sur les publications destinées à la jeunesse
Dépôt légal : octobre 2002
Imprimé en Italie par Editoriale Lloyd
Réalisation Octavo

Tony Ross

Adrien qui ne fait rien

GALLIMARD JEUNESSE

Il était une fois un garçon nommé
Adrien qui habitait avec sa mère.
Adrien était certainement l'être
le plus paresseux du monde

et il restait tranquillement assis
tandis que sa mère faisait tout le travail.

À la fin, celle-ci en eut assez de cette incroyable paresse. Elle s'écria :
– Plus question de te nourrir tant que tu n'auras pas trouvé un travail. Et tu es prié dorénavant de laver tes chaussettes toi-même !
– D'accord ! dit Adrien,

et il alla travailler chez un fermier
qui le paya d'une belle pièce d'or.

Pour rentrer à la maison,
Adrien devait franchir une rivière.
En sautant, il perdit sa pièce qui
roula dans l'eau.
Évidemment, sa mère se mit en colère.
– Imbécile ! cria-t-elle,
la prochaine fois, mets ton argent
dans ta poche.

– D’accord ! dit Adrien,
c’est ce que je ferai la prochaine fois.

Le jour suivant, Adrien alla travailler
chez un éleveur qui lui donna
pour tout salaire un pot de lait.

Se souvenant des paroles maternelles,
il versa le lait dans sa poche
et rentra à la maison.
– Stupide cervelle de sansonnet !
s'écria sa mère. Il fallait mettre le pot
sur ta tête.
– D'accord ! dit Adrien, c'est ce que
je ferai la prochaine fois.

Le jour suivant, Adrien alla travailler
à la laiterie.

Pour tout salaire, il eut un superbe
fromage frais. Rien que pour lui.

Se souvenant des paroles maternelles,
il mit le fromage frais sur sa tête.

Quand il arriva à la maison,
le fromage avait fondu de la manière
la plus dégoûtante.
– Mais quel crapaud crétin
j'ai donc là ! s'exclama sa mère.
Tu n'avais qu'à le porter dans tes bras.
– D'accord ! dit Adrien,
c'est ce que je ferai la prochaine fois.

Le lendemain, Adrien alla travailler
dans une usine de saucisses.

Là, il reçut un chat en guise de salaire.
Se souvenant des paroles maternelles,
il le prit dans ses bras.
Mais le chat était une vilaine bête,
qui détestait qu'on le prenne
dans les bras.

Quand Adrien arriva à la maison,
il était couvert de griffures.
– Mais quelle nouille imbécile
me tient lieu de fils! hurla sa mère.
Il fallait le ramener au bout
d'une laisse.
– D'accord! dit Adrien,
c'est ce que je ferai la prochaine fois.

Le jour suivant il alla travailler
chez un boulanger.

Le boulanger et la boulangère
furent satisfaits de lui et lui donnèrent
un gâteau pour sa peine.
Se souvenant des paroles maternelles,
il l'accrocha à une ficelle et le traîna
jusque chez lui.
– N'as-tu donc pas plus de tête
qu'une brouette ? s'exclama sa mère.
Il fallait le porter sur ton dos.

– D’accord ! dit Adrien,
c’est ce que je ferai la prochaine fois.
Ensuite, il travailla dans une écurie.

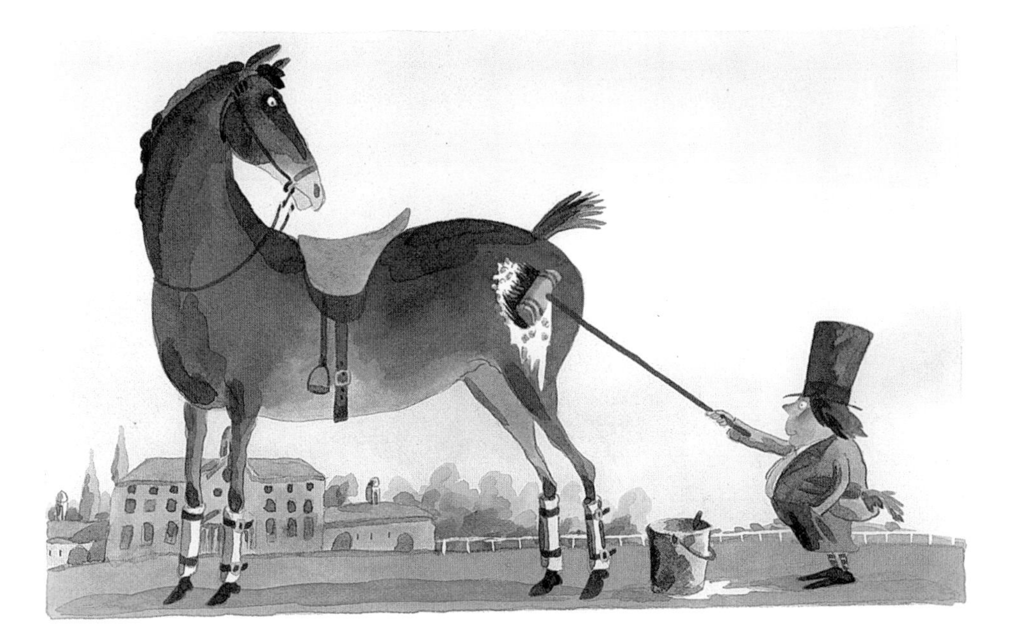

Le travail fini, le propriétaire
de l'écurie offrit à Adrien un âne
en guise de salaire.
Se souvenant des paroles maternelles,
Adrien hissa l'âne sur ses épaules.

Ce n’était pas facile, pas facile du tout
et Adrien titubait en essayant
de regagner sa maison.

Il passa, dans cet accoutrement,
près du château de la princesse triste
qui ne savait pas sourire.

Or, elle était là, assise à sa fenêtre.
Elle vit Adrien qui marchait en zigzag,
son âne sur le dos...
Il était incroyablement drôle...

Et la princesse triste éclata de rire.
Sa maman et son papa en furent
si contents qu'ils lui firent
épouser Adrien.

La princesse était heureuse d'avoir
un mari si rigolo.
Et Adrien était heureux, parce qu'il
n'aurait plus jamais besoin de travailler.

Fin

L'AUTEUR - ILLUSTRATEUR

Tony Ross est né à Londres en 1938. Après des études de dessin, il travaille dans la publicité puis devient professeur à l'école des Beaux-Arts de Manchester, où il révèle de nouveaux talents dont Susan Varley. En 1973, il publie ses premiers livres pour enfants. Sous des allures de rêveur fantaisiste et volontiers farceur, Tony Ross est un travailleur acharné : on lui doit des centaines d'albums, de couvertures, d'illustrations de fictions (souvenons-nous de la série des « William » de Richmal Crompton...) L'abondance de son œuvre n'a d'égale que sa variété : capable de mettre son talent au service des textes des plus grands auteurs (Roald Dahl, Oscar Wilde, Paula Danziger), il est aussi le créateur d'albums inoubliables. Amateur de voile, il vit à la campagne dans une grande maison avec sa femme Zoë et leur fille Kate. Une grande exposition, intitulée « Des yeux d'enfant », lui a été consacrée à Saint-Herblain au printemps 2001.

folio benjamin

Si tu as aimé cette histoire
de Tony Ross, découvre aussi :

Et dans la même collection :